JN121316

200の写真が語るあしたの神戸

神戸未来景

久元 喜造

はじめに──神戸未来景

本書には、25のテーマ別に、合計200枚の写真が収められている。神戸がどんな風に変わろうとしているのか、そしてその先にどんな風景があるのかを感じ、想像していただきたいと願い、編むことにした。

街は時代とともに変わっていく。誰も変化を押しとどめることはできない。街に変化をもたらす要因はさまざまだ。経済動向とこれに影響される不動産市況、居住に関する選好の変化、人口動向や年齢構成の動向などの社会経済的要因。国や神戸市をはじめ地方自治体によるインフラ整備。都市計画など街づくりに関する規制のありようも街の佇(たたず)まいに影響を与える。近年では、夏の異常高温が常態化しており、今後は、気候変動による異常気象が人口移動や都市構造に変化をもたらす可能性もある。

客観的要因は重視されなければならないが、それでもやはり、その都市に住む人が抱く、この街はこうあってほしいという思いや願いはかけがえのないものだと思う。本書では、神戸に住み、あるいは関わっている方の神戸に寄せる想いや未来への希望のようなものを表現したいと思った。そして、私なりのささやかな願いもこめてみた。上手く表現できたかどうか自信はないが、写真と、それに添えたごく短い文章で表現することにした。

神戸のことを深く愛する友人たちと本書を編む作業は、楽しいものだった。写真を眺め、それらを取捨選択し、それらの作業を通じた意見交換や議論を通じ、改めて神戸という街のかけがえのなさを感じることができた。神戸とはどんな街なのか。

一人で街を歩くとき、ときどき反芻(はんすう)する文章がある。陳 舜臣氏の「神戸よ」の一節だ。阪神・淡路大震災の直後、神戸新聞の一面に掲載された。

「…神戸市民の皆様、神戸は亡(ほろ)びない。新しい神戸は、一部の人が夢見た神戸ではないかもしれない。しかし、もっとかがやかしいまちであるはずだ。人間らしい、あたたかみのあるまち。自然が溢(あふ)れ、ゆっくり流れおりる美(うる)わしの神戸よ。そんな神戸を、私たちは胸に抱きしめる」

この文章に込められた陳 舜臣氏の熱い想いは、今でもひしひしと伝わってくる。

そして、当たり前のことが書かれているようでありながら、たくさんのことを考えさせてくれるような気がする。

「もっとかがやかしいまちであるはずだ」に、「人間らしい、あたたかみのあるまち」と続くことはどう考えればよいか。「かがやかしい」ことと「人間らしい、あたたかみ」は距離がある。「かがやかしい」ものは、周りを睥睨(へいげい)して屹立(きつりつ)し、距離を保ち、ときとして見る者に緊張を強いるからだ。しかしそんなものは「かがやかしい」ものではない。「人間らしい、あたたかみのあるまち」こそがそうなのだと、陳 舜臣氏は考えたのだろう。そしてそのまちでは「自然が溢(あふ)れ、ゆっくり流れおりる」。

神戸は自然に恵まれた大都市だ。神戸の自然の特徴は、人の生活との関わりの中で育まれてきたところにあるのではないかと思う。人の手が入り続けることによって緑滴る山になった六甲山、茅葺民家が点在する里山の自然、古来よりの景勝地、須磨や垂水の海岸など。それはやさしい自然であり、人とともにあり続けてきた存在でもある。

「ゆっくり流れおりる」とは、神戸の人と自然との付き合い方を端的に表現しているような気がする。時代のスピード感に振り回されるのではなく、ゆっくり流れる時間。時代の動きに常に注意を払いながらも、身近な自然と四季を愛でる生活。

コロナ禍が過ぎ去ったころには、おそらく陳 舜臣氏が提案した「まち」のありようが価値を獲得することだろう。これからテクノロジーはますます進化するだろうし、それらを使いこなしていかなければならないが、人間がテクノロジーに振り回されたり、使われたりするようなことがあってはならない。

本書の頁を開き、神戸のさまざまな景色をご覧いただき、神戸のいまと未来の景色に想いを馳せていただければありがたい。

久元 喜造

【引用文献】1995年1月25日神戸新聞朝刊　陳 舜臣「神戸よ」

神戸埠頭梱包団地協同組合
ONE

Contents
目次

カバー写真／ANCHOR KOBEから見た風景

01 食都

#地産地消　#世界のグルメ　#農業漁業

神戸は関西でも有数の農業都市だ。北区と西区の田園では、北神ねぎ、スイートコーン、甘い芽キャベツ（プチヴェール）、軟弱野菜など和食にも洋食にも使われる食材が丁寧に育てられている。イチゴやイチジクは、生食のほか神戸スイーツにもよく使われる。

須磨、垂水から淡路島に至る海域は、蛸、鯛、穴子、鮃など日本で最も美味しい魚介類が獲れる海域のひとつ。海苔の養殖も盛んだ。

神戸は地元の豊かな食材を使った美味しい料理が堪能できる街。戦前からの和食、中華、西洋料理の伝統に加え、近年はエスニックのお店も増えている。世界を代表する「食都」の仲間入りを果たしていきたい。

写真／地場野菜を洗練された一皿に昇華させる、ブラッスリー・ラルドワーズ

生産と消費をローカルで
新鮮な山海の幸を召し上がれ

地産地消に共感する、柘植順平シェフ

食べる楽しみに観る楽しみをプラス。
「Farmer's Yard」鈴木夫妻の新提案

東遊園地で開催されるFARMERS MARKET。街と農をつなぐ試み

北野の街角でローカルフードを販売するFARMSTAND

SAKE TARU LOUNGEで、灘の酒を飲み比べ

活気が溢れる垂水漁港

地元産野菜を使うレストランが増えている

02 ストリートピアノ

#拍手　#駅ピアノ　#音楽のある街

学校帰り、楽しそうな連弾のリズムが響く

情報ネットワークが発展し、世界中の誰とでもつながる世の中になった。SNS上での友達はあっという間に数百人とできるが、なぜか孤独と渇きを感じる人もいることだろう。
せわしなく人込みをかき分けていて、ピアノの音色にふと足が止まる。駅の片隅に置いてあるグランドピアノで、若者が無心に演奏していた。周りに小さな人だかりができている。弾き終わると拍手が起きた。次は「子どものとき以来なので」と自信無さそうに女性がピアノを奏で始めた。誰もが温かく見守り、見ず知らずの人同士で会話が生まれている。
外を歩くと音楽を感じることができる街・神戸。
音楽を通してつながりが生まれ、リアルな人のぬくもりを実感できるということが、都市には必要なのではないか。そんな温かいつながりが、ストリートピアノをきっかけに広がっていってほしい。

— ふと立ち止まり、ピアノを奏でる人が次々と

軽やかな指の動きに見とれてしまう

感想ノートには音楽愛があふれる

神戸駅の地下。花と音楽のある街角

あたたかな音が人と人をつなぐ
地下鉄・海岸線は「ピアノライン」へ

03 六甲山

#眺望　#ワーケーション　#スマートシティ

神戸は方角に迷わない街と言われる。四季折々の顔を魅せてくれる六甲山が横たわっているからだ。六甲の山々と並走するかのような電車の駅から大体30分で、緑が滴り、素晴らしい眺望の別世界が現れる。最初に六甲山に魅了されたのは、150年前の開港をきっかけに神戸で生活した外国人たちだった。山荘を建て、日本初となるゴルフ場を開き、自然に囲まれた豊かな暮らしを堪能したことだろう。
今、六甲山は新たな芽吹きを迎えている。インターネット環境が整い、老朽化した別荘や保養所が、ワーケーションオフィスやカフェ、ホテルなどに生まれ変わっている。鳥のさえずりを聞きながら集中して仕事ができる環境に魅了され、国内外から人が集まり始めた。自然の中で、地域、そして世界とつながりながら暮らし、働くという選択肢。神戸だからこそできる提案だ。

写真／六甲山は整備された山道も多く、ハイカーに人気

五感を通して自然を感じとる
リラックスしたワークライフ

天覧台から神戸市街地を一望。キジのモニュメントがユニーク

「自然体感展望台 六甲枝垂れ」と四季の花が競演

日本最古のゴルフ場「神戸ゴルフ倶楽部」

新風を吹き込むシェアオフィス

山上のトイレや駐輪場も整備され快適に

03 六甲山

暮れなずむ街を月光がやさしく照らす

04 ウォーターフロント

#BE KOBE　#インスタ映え　#港町

中突堤に、高さ108mの神戸ポートタワーが建設されたのは1963年のことだった。今でもはっきりと覚えている。神戸の風景が明らかに変わったのだ。新しい時代が始まったことを、当時の神戸市民に印象付けた。
かつての港はポートアイランドや六甲アイランドへと移り、ウォーターフロントは変貌を続けている。波止場を埋め立て整備されたメリケンパークは、新たにBE KOBEモニュメントも加わり、多くの人々でにぎわっている。
周辺では、ホテルや民間企業の進出が進み、アクアリウムも入る神戸ポートミュージアムがオープンする。さらに1万人規模のアリーナが完成すれば、水際の魅力を生かした神戸ならではの空間としてさらに輝きを増していくだろう。
開業60年を迎える2023年のポートタワーには、屋上から海・山360度のビューが楽しめる展望歩廊が出現する。そこから眼下にどんな光景が広がるのか、今から楽しみだ。

写真／夕暮れの美しさが圧巻のメリケンパーク

新たなランドマークとなった、BE KOBEモニュメント

良く晴れた青空をカモメが気持ちよさそうに舞う

時代が変わっても、変わらず神戸港と船をつなぐ係船柱

神戸の風景を変えたランドマーク
止まらない進化で人々を魅了

05 水素エネルギー

#クリーンエネルギー　#ゼロカーボン　#次世代

水素を燃料とする電動の自動車（FCV）。走っているときに排出するのは水だけで、究極のエコカーと呼ばれる。公用車として利用している。
市長に就任して間もない2014年3月、総理大臣官邸で開かれた経協インフラ戦略会議に招かれた私は、神戸で世界初となる水素エネルギーの技術開発に地元企業とともにチャレンジする提案をした。一つは、CO_2フリーの液化水素をオーストラリアから運び、水素サプライチェーンを構築する試み。もう一つは街なかに水素発電プラントを設置し、電気と熱を供給する試みである。
震災を経験した神戸の街は、エネルギーの大切さを知っている。環境にやさしいエネルギーの利活用を進め、他地域に貢献できる都市でありたい。

写真／世界初の液化水素を運ぶ船「すいそ ふろんてぃあ」　NEDO助成事業　協力:HySTRA（P24・P25上の写真）

神戸発、水素社会へのチャレンジ
古くて新しいエネルギーで貢献

水素エネルギーで走る車が神戸市の公用車に

兵庫区七宮にある水素ステーション

液化水素を荷揚げするための基地　NEDO助成事業　協力:HySTRA

クリーンエネルギーの電力を広めたい　NEDO助成事業　協力:(株)大林組

06 下町ディープ

#B級グルメ　#落語　#赤ちょうちん

干していたフグのヒレを炙り、超熱の熱燗に入れる。新開地の居酒屋でリーズナブルにヒレ酒を楽しむ。何とも言えない香ばしさが染み入る。神戸の海で獲れた地魚など、酒のアテも豊富だ。新開地は今も昔も庶民の街。本通りの商店街から東西の路地に入り、ぶらぶらするのも楽しい。

新長田。震災で大きな被害を受け、再開発されたが、周辺には、銭湯、居酒屋、お好み焼き、ラーメン店などがあちこちにあり、個性を競っている。居酒屋なのにワインを薦められる。肉じゃがに赤ワインがなぜか合う。和田岬では焼肉屋。お目当ては、新鮮なプリプリのホルモンだ。

兵庫区や長田区の下町には、「ディープ」という言葉がよく似合う。そっと隠しておきたい気もするが、実は遠来の客が来たら案内し、自慢したくてうずうずしている神戸っ子はたくさんいる。

写真／見知らぬ者同士、肩を並べて盃を交わすのも一興

丸五市場の酒場はアングラ感がたまらない

長田名物・加島の玉子焼。昔ながらの製法を守る

粉もん文化を支える地ソースたち

「お好み焼 青森」はそばめし発祥といわれる店

道端で野良猫が昼寝中

ヒレ酒、ビール、ホルモン、お好み焼き
ついつい注文が増えてしまう

和田岬に愛され、創業100年を迎える「木下酒店」

07 都心のにぎわい

#タワマン規制　#グルメ　#楽しむ街

上層階からの眺めの良さや立地場所の利便性から、タワーマンションが人気となっている。だが、災害になって電気、水道、エレベーターが止まれば、上層階はたちまち孤立する。また大規模修繕のための積立金が不足しがちで、そうなると将来エレベーターの交換もできなくなる。
都心にタワマンが次々に建つと、商業・業務機能が衰退する。そこで、三宮の周辺を「都心機能高度集積地区」に指定して、住宅の建築はできないようにし、周辺地域でも住宅に使用できる容積率を引き下げることにした。
神戸が大阪のベッドタウンになってしまうのは寂しい。やはり三宮や元町は、買い物をし、グルメやアートを楽しむ街であり続けてほしいと願う。

写真／オフィスビルやマンションが林立する神戸中心部

高層住宅の林立による安易な人口増加を避け
集い・働き・楽しむ都心を意識してつくる

旧居留地ナイトマーケット。街並みの美しさがそのまま舞台装置だ

阪急・神戸三宮駅のEKIZOには、注目の飲食店が軒を連ねる

アーティストとともに未来の神戸を考えて創る「Street Table Sannomiya」

ネオンに誘われて、駅近で飲み歩きが楽しい

アート×音楽×食に集い、おしゃれに街を楽しむ

ゆとりある空間に生まれ変わった、葺合南54号線

08 保久良(ほくら)神社

#坂のまち　#息づく歴史　#神話

阪急・岡本駅で「阪急マルーン」色の電車を降り、六甲山系金鳥山の中腹・保久良山の神社を目指す。岡本八幡神社を参拝してから、天井川公園の階段をあがり、坂道をひたすら歩く。さらに舗装されていない山道を登って息が切れてくる頃、視界が開け保久良神社の明神鳥居が目に入ってくる。

鳥居の左側には、「青木」の地名の由来となった青亀（あおき）の背に乗った椎根津彦命（シイネツヒコノミコト）の銅像が鎮座している。その指さす方向に目を向けると神戸の街と海が一望できる絶景が拡がる。ここからの夜景は、六甲山上とはまた違った趣がある。

鳥居前の石灯籠は、「灘の一つ火」と呼ばれ、古代から大阪湾の沖を通る船の目印だった。石灯籠は今も毎夜点灯され、古くからの海と山の結びつきを今に伝えている。

写真／神戸の移り変わりを静かに見守ってきた、灘の一つ火

古社を訪ねて出会う、歴史のかけら
海と山を結んだ「灘の一つ火」

境内からの眺めに、意外にも海が近いことを実感する

初夏の木漏れ日が美しい

十二支の愛らしい石像が出迎えてくれる

古くは「梅は岡本、桜は吉野、みかん紀の国、栗丹波」と謳われた

阪急・岡本駅前は、石畳に似合うモダンな店が並ぶ

09 茅葺(かやぶき)民家

#茅葺職人　#農村歌舞伎　#古民家カフェ

あまり知られていないが、神戸は全国でも有数の茅葺民家が残る地域だ。北区や西区を中心に、800棟ほどが点在する。
北区の淡河町神田。田園の中の細い道を進むと、築260年の茅葺屋根の建物が現れる。市の指定有形文化財にしてベーグルが味わえるカフェである。長尾町では、数十年空き家だった茅葺民家が、地元や学生さんたちの手で地域活動や交流の拠点として再生された。
茅葺には、技術を持った職人の力が必要だ。相良育弥さんは、日本を代表する茅葺職人。現代的な茅葺デザインを提案する気鋭の芸術家でもある。
神戸には、自然とともに育まれてきた日本の原風景がある。都市の近くにそのような小宇宙が存在する価値を次世代につないでいきたい。

写真／神戸市登録有形文化財「大前家住宅」を移築再生

職人に命を吹き込まれ、築260年の古民家がカフェに

縁側で庭を眺めながら、カフェタイム

古民家の良さを上手に生かす

茅葺職人の相良さん親子

ふれあいの里「おくっちょ」

八多ふれあいセンターとして再生

立派な梁をそのまま生かす空間づくり

上谷上の農村歌舞伎はタイムスリップしたよう

ブルー、そしてグリーン

前作『神戸残影』でも引用させていただいたが、司馬遼太郎氏は、「街道をゆく」の第21巻『神戸・横浜散歩 芸備の道』の中で、「京都は人を緊張させるところがあるが、神戸はそうではなく、開放的で、他人(ひと)のことにかまわず、空気まで淡くブルーがかっていて、疲れたとき歩くのにちょうどいい」と記している。確かに、メリケンパークなど都心の海辺や旧居留地を歩くと、辺りの神戸の街は、色で言えばブルーのように感じる。

2021年4月1日から、都心とウォーターフロントの間を回遊する連節バス「Port Loop(ポートループ)」の運行が開始された。外装、そして座席など内部のデザインはブルーを基調とした。晴れた日、Port Loopの車窓からは、ブルーの海が広がる。神戸のブルーは明るいブルーだ。

振り返って北の方向、山側を望めば、摩耶、六甲の山々が連なる。明治の初め、摩耶山も六甲山も禿山(はげやま)に近い状態だったが、当時の神戸市は、後に明治神宮の造営にも関わることになる本多静六博士の助言を得て、植林事業を開始。緑滴る山々へと姿を変えていった。

ブルーとグリーン。神戸の色調を体したプロジェクトがいま進められている。ブルーカーボンとグリーンカーボンの取り組みだ。

ブルーカーボンとは、海洋生物によって大気中の二酸化炭素が取り込まれ、海域で貯留された炭素のことを言う。2009年に国連環境計画(UNEP)によって提唱され、各地で取り組みが進められている。二酸化炭素の削減は地球温暖化の防止のために不可欠であり、これを海域で行おうとするプロジェクトである。大気中の二酸化炭素が光合成によって浅い海域に生息する海藻などに取り込まれる。枯死した海藻が海底に堆積し続けることにより、炭素が蓄積される。研究者によれば、海底に貯留されたブルーカーボンは数千年程度も分解されずに貯留されるという。

神戸市もぜひこの取り組みを進めていきたい。すでに兵庫運河に藻場を造成しているが、この取り組みを大阪湾全体で広げていくことが考えられる。六甲アイランド南地区には、生物共生型傾斜護岸を整備し、藻場にする。魚など海の生き物たちの住処となることだろう。兵庫運河では、地元のみなさんの手でアマモの藻場が以前からつくられ、魚や貝などたくさんの生き物が見られるようになっている。私もときどき訪れるが、大きなボラが悠々と泳いでいる様子は圧巻だ。

一方、グリーンカーボンは、陸上の植物が光合成を通じて二酸化炭素を吸収し、固定して蓄積される炭素を指す。ため池や水源地で水草を増やして二酸化炭素を吸収させ、水草に固定化された炭素を淡水ブルーカーボンと呼ぶこともあるが、グリーンカーボンの取り組みの一環とも捉えることができる。

具体的な取り組みも始まっている。水道局が管理する烏原貯水池では、カビ臭の原因となる植物プランクトン、アナベナの発生を抑制するため、水草の育成に取り組んでいるが、あわせて水草による二酸化炭素吸着の評価モデルをつくる計画が進められている。また、ため池で底にたまった泥をさらい、水草の繁茂を促し、二酸化炭素の吸着、固定を促す取り組みも大学との連携により始まっている。

神戸には豊かな里山が広がっているが、多くの地域で手入れが行われずに放置され、竹藪の繁茂などが見られるようになっている。また、十分な管理ができていないためにアオコが発生し、緑色に濁った池も多い。

地域のみなさん、NPO、大学、留学生、市職員がともに汗をかき、ため池と周囲の山林を再生させる試みが始まっている。水質の改善については大学からも助言、指導をいただく予定だ。本書でも紹介している多井畑での取り組みも進めていきたい。

H. W. L. 上. 13 M

写真／HAT神戸に立つ「Animal 2021-01-B（KOBE Bear）」（三沢厚彦）

10 図書館

#駅近　#電子書籍　#本好き

神戸電鉄·岡場駅前にある「北神図書館」。地下鉄·名谷駅前にある「名谷図書館」。どちらもエコール·リラ、大丸須磨店という商業施設の中にあるので、買い物ついでに図書館に立ち寄り、あるいはその逆も楽しむことができる。
西神中央にできる、文化·芸術ホールと合築した新しい図書館は、大倉山の中央図書館に次ぐ蔵書量になる。垂水でも、駅前広場にマッチした図書館が建設される。
ネット社会になって電子書籍を利用する人が増えてきた。神戸市立の図書館でも電子図書館のサービスが使える。電子書籍がこれから広がっても、多くの人々は本を手に取って重さを感じ、読書の世界に分け入り続けることだろう。図書館の役割はネット時代だからこそ大きい。

写真／見やすくレイアウトされた北神図書館

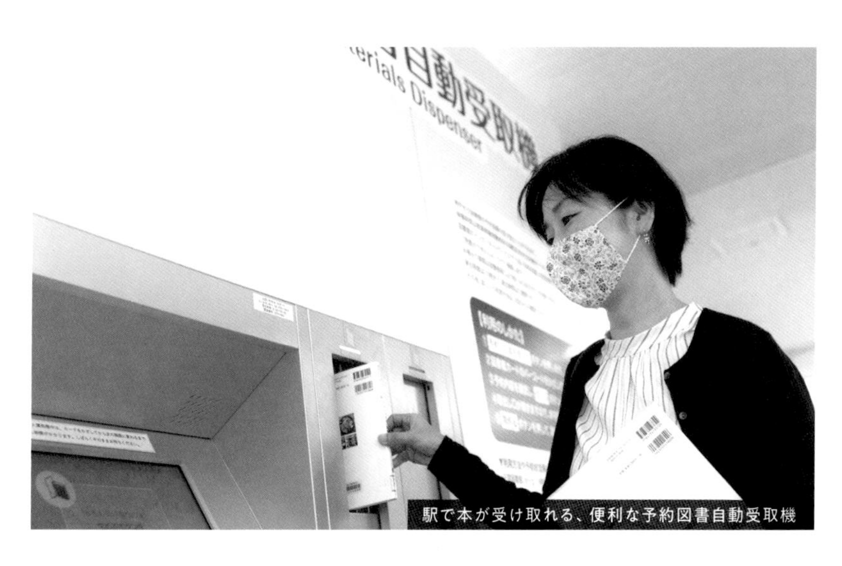

駅で本が受け取れる、便利な予約図書自動受取機

新しいスタイルの図書館が
“本のある暮らし”を実現

新聞資料も閲覧しやすく工夫されている

のびのびと本が読めるキッズスペース（名谷図書館）

親子の読み聞かせが、本好きを育てる

絵本から世界の文化に触れる

最新のブックシャワーで衛生的に

11 キッチンカー

#実証実験　#テイクアウト　#withコロナ

新型コロナウイルス感染症の影響で飲食店が苦境に立たされる中、キッチンカーが注目を集めていた。感染リスクを減らすために、テイクアウトのニーズが拡大した。さらにキッチンカーであれば、車に厨房があるので、出来立ての美味しい料理を家の近くで買えるからだ。

2020年、1回目の緊急事態宣言のさなか、三宮など市街地の飲食店がキッチンカーを借りて住宅団地に出店する実証実験が行われた。西区と北区の住宅団地の公園などにキッチンカーが来ると、自宅で巣篭っていた人たちが、外食気分を楽しめるチャンスと、メニューをのぞき込んだ。

これまでキッチンカーはオフィスや商業施設向けと思われていたが、実証実験で住宅団地でもやれると分かった。2021年4月から市内4ヶ所への本格出店がスタートしている。

写真／ステイホームに彩りを。鈴蘭台にて

レストランが近所にやって来る
コロナが開いた新しい可能性

自宅近くで新しい味に出会う楽しみ

おしゃれなキッチンカーに気持ちが上がる

家族連れの姿もたくさん

クリームソーダにわくわく

その場で調理するライブ感も魅力

笑顔も添えて、召し上がれ

12 遊び場

#子育てしやすい街　#子ども　#東遊園地

スマホやゲームに夢中になる子どもたちが増えている。できれば小さい頃から思いっきり体を動かすことを楽しんでほしいと思う。そこで、雨の日でものびのびと遊べる広場づくりを進めている。就学前のお子さんが対象で、アリの巣遊具やすべり台などちょっとした冒険ができる大型遊具を備えている。

晴れた日は、外に出ると六甲山や里山・海といった自然が、小さい好奇心と冒険心を満たしてくれるだろう。1歳から親子で「森デビュー」のようなイベントが楽しめるのは神戸ならではだ。

本の世界にも夢中になってほしい。2022年の春には、安藤忠雄さんの寄付によって子どものための図書館が東遊園地の中にできる。芝生に本を持ち出して読んでもいい。

見たり、嗅いだり、触れたり…単に「待機児童ゼロ」だけでなく、子どもたちと一緒にわくわくできる街でありたい。

写真／北区にある「こべっこあそびひろば」にて

365日いつでも遊んで冒険を
子どもと一緒にわくわくしよう

全面芝生化した東遊園地はのびのび遊べる

笑顔あふれる、ふわふわドーム（湊川公園）

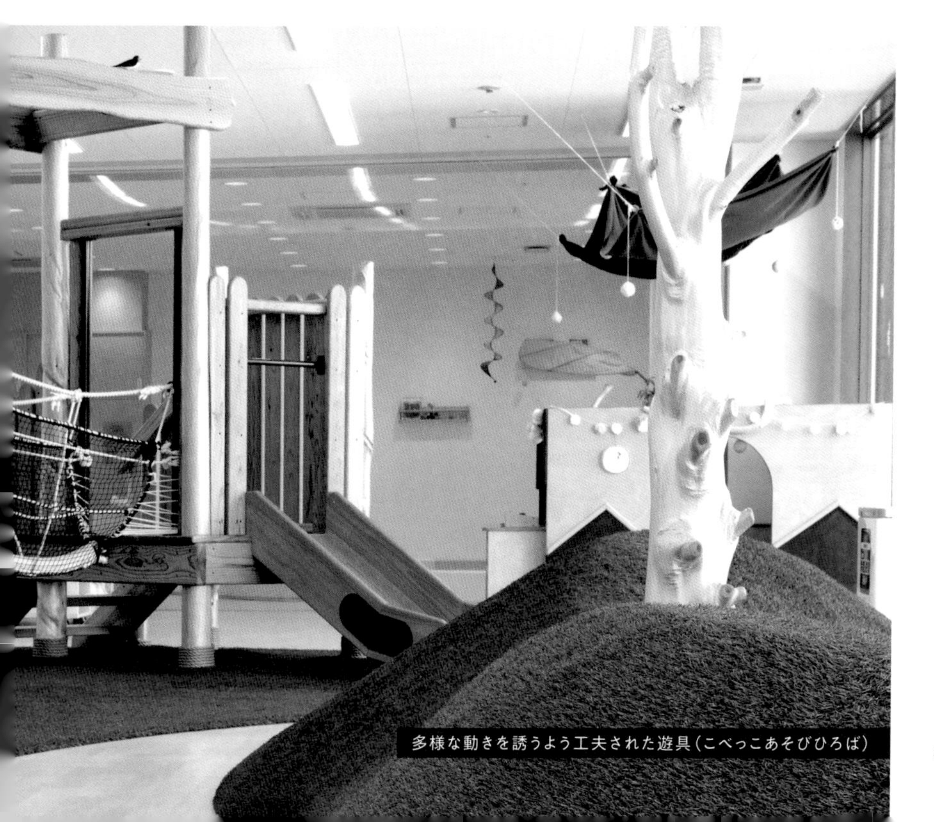

多様な動きを誘うよう工夫された遊具（こべっこあそびひろば）

13 六甲アイランド

#スタートアップ　#子育て　#外国人が住みやすい

六甲アイランドは、30年余り前の1988年に街びらきした。コンテナターミナルに加え、中央エリアには美術館、飲食店、レジャー施設などが整備された。だが、震災や日本経済の伸び悩みもあり、人口も計画どおり増えておらず、当初思い描いた街になっていない。

それが最近になって動きが生まれつつある。スタートアップ企業などの本社立地、開発拠点の設置が相次いでいるのだ。「イノベーションに向けた開発には、この『海』が見えるオフィスが向いている」と。

神戸市も、ファッションプラザに子育て支援拠点を開設、子どもたちに好評を得ている「ふわふわドーム」を設置するなど同プラザとファッションマートのロビーをリニューアルする。

写真／UFOのような外観が印象的な神戸ファッション美術館

再びクローズアップされる海上都市
潮風がイノベーションを呼ぶ

六甲アイランドの最南端にあるカフェ。潮風が心地いい ©一般財団法人神戸観光局

仕事中にふと外を見ると、海が広がるオフィス

安全に遊べる公園も点在し、子どもの声が響く

神戸ファッションプラザにある「こべっこあそびひろば」は、全天候型

JRや阪神に接続する六甲ライナー

14 神出山田自転車道

#BE KOBE　#サイクリング　#里山

のどかな里山でサイクリングしたい——そんな方には「神出山田自転車道」がお薦めだ。2019年に全面リニューアル。2020年には、つくはら湖の畔に天然杉でつくられた「BE KOBE」のモニュメントが完成し、サイクリングファンの注目を集めている。

北区の六條八幡宮の近くが、自転車道のスタート地点。旧山田村の総鎮守で、室町時代に建立された三重塔で知られる。現存する日本最古の民家「箱木千年家」を過ぎると、つくはら湖が見えてくる。自転車と歩行者だけが渡れる「つくはら大橋」は、道の真ん中でも車に気兼ねせずに写真が撮れる魅力的なスポットだ。自転車道は続いて西区に入る。桜の季節であれば、明石川沿いの桜並木は圧巻だ。広やかな景色を楽しみながら、ほどなく神出町の終点に着く。

写真／自然の中を駆け抜ける、神出山田自転車道

四季折々に表情を変えるつくはら湖

湖畔の道を爽快に駆け抜ける
歴史あり自然ありのサイクリングロード

春には見事な桜並木が続く

3ヶ所目のBE KOBEモニュメントは初の木製

15 スマートシティ

#DX　#PoC　#実験都市

テクノロジー（技術）が進化を続ける令和の時代。自動運転やキャッシュレス、遠隔医療、ドローンの自動配送など、技術が私たちの社会や生活を大きく変えていく。この流れはもはや止められず、変化の激しい時代に将来を明確に見通すのは難しい。さらに人が技術を使って幸せになるべきなのに、いつの間にか技術に使われるようになっていないか。そう考えると、誰かにつくられた技術を使うだけでなく、その進化を主導していく「実験都市」となって、未知の領域にアクティブに挑戦ができる街を目指すべきではないか。

長田港で水揚げされたばかりの身の引き締まった蛸を、ドローンで六甲山上まで20分足らずで運び、森の中で鳥のさえずりを聞きながら味わうという妄想は実現に近づいている。私たちが主体的に、より広く、深く、この世界を楽しむ——技術をこのように使っていければと思う。

写真／電動キックボードの公道走行に向けた実証実験

夢物語を現実にする最新技術
使って試せるフィールドを

ディスカッションがイノベーションを生む

オンラインで神戸ゆかりの人々が交流「バーチャル神戸のつどい」

スタートアップのサグリが開発した人工衛星画像を使って耕作放棄地を把握するアプリ

「078KOBE」で話題を呼んだ、mplusplus藤本実氏演出のライブパフォーマンス

外出自粛を呼びかけるアナウンスドローン

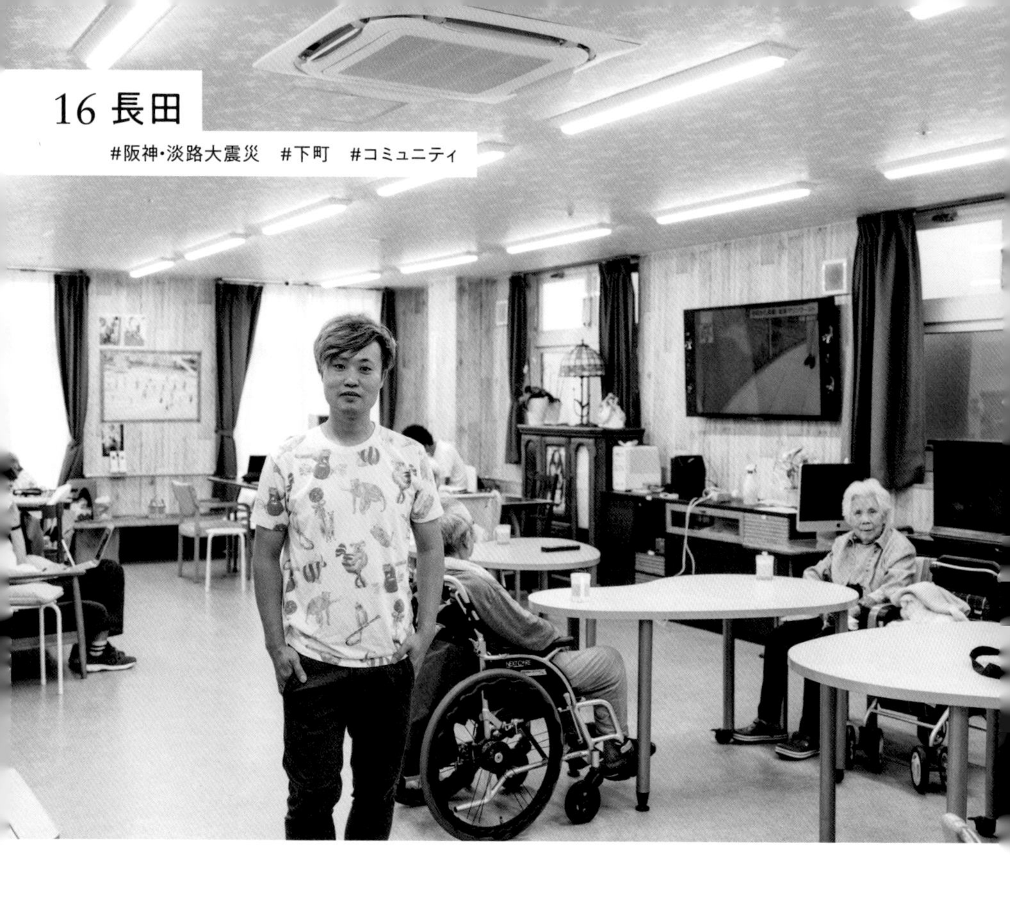

16 長田

#阪神・淡路大震災　#下町　#コミュニティ

震災で大きな被害を受けた長田。再開発によって整備された道路や高層ビルに、昭和の風情が薫る長屋や市場、商店街が同居する。多国籍な飲食店も多い。小さい子どもを連れた若い夫婦にお年寄り、韓国やベトナム出身の人々…幅広い世代や国籍の人たちがともに暮らしている。よそ者を受け入れる寛容さ、あるいは混沌とした魅力に惹かれるのだろうか、芸術家たちが移り住み、腰を落ち着け、町になじんでいく。
道端で、公園で、お好み焼き屋で…隣の人が気軽に声をかけてくる。一人だけど一人じゃない暮らしがここにある。長田という町が「家族」なのかもしれない。
介護も子育ても、チャレンジも失敗も、誰かが関わり、誰かが見守っている。これからの地域コミュニティの新しい形の一つではないかと思う。

写真／「はっぴーの家ろっけん」代表の首藤義敬さん

一人だけど、一人じゃない
地域で家族のように見守るあたたかさ

今も昔も変わらない、子どもの笑顔が弾ける路地

「丸五アジア横丁ナイト屋台」が開かれる丸五市場

ソースの香りが食欲をそそる

ベトナムの獅子舞に、多文化共生を感じる

国道2号の地下通路にある壁画アート

17 名谷

#図書館　#子育てしやすい街　#郊外で暮らす

地下鉄に乗り、妙法寺駅から続く長いトンネルを抜けると名谷駅に到着。太陽の光が感じられる、規模の大きな地上駅だ。

1977年に地下鉄が開通して40年余り。これまで駅ビルや周辺商業施設の改装はほとんど行われなかったが、2021年3月、大丸須磨店の4階に「名谷図書館」がオープン。名谷駅周辺の大改造が始まった。駅ビルは改装・増築されて面目を一新。商業施設・須磨パティオは外観を美しく改装して、屋上広場やキッズコーナーを新設する。買い物広場もお洒落に変貌する予定だ。

駅北側にある落合中央公園では、遊具や園地をリニューアル。展望台も設け、すぐ近くの落合池の眺めを楽しめるようになる。オールドタウン化が進む街で、新たな挑戦が始まった。

写真／地下鉄とバスをつなぎ、商業施設や図書館、区役所支所なども集まる駅前広場

緑の丘に広がる、名谷エリア

駅周辺を40年ぶりに一気に刷新
ファミリーフレンドリーな街へ

市街地からの長いトンネルを抜けて地上に出ると名谷駅に到着

元幼稚園を改装した「ワークラボAOZORA」。職住近接を実現

木をふんだんに使い、開放感たっぷりの図書館

18 神戸三宮

#歩くまち　#阪急会館　#東遊園地

120mの高さに生まれ変わった、神戸三宮阪急ビル

2021年4月、神戸三宮阪急ビルが開業。阪神・淡路大震災から26年を経て、阪急会館のエレガントな装いが蘇った。昔は映画館が中心だったが、新しいビルには企業・大学などが交流する拠点「ANCHOR KOBE（アンカー神戸）」ができ、食のスタートアップを目指す料理人が店を出せる、新しい出会いとチャレンジの場となった。サンキタ通り、駅前広場も雰囲気を一新した。
神戸の玄関口「三宮」が、いま大きく変わろうとしている。
駅の東側には、西日本最大級の中長距離バスターミナルが高層ツインタワーの中に整備される。世界一美しい図書館「スカイライブラリー」や1,800人規模の大ホールもできる。JR西日本の駅前ビル、市役所2号館跡地の再開発、東遊園地の再整備も動き出す。

駅と街をつなぐ場。美しいアーチが復活

食のスタートアップ支援事業で起業を目指す仲塚元秋シェフ

フランス・オーヴェルニュ地方の郷土料理「パスカード」

都心再整備から、未来の神戸
ヒト・モノ・コトの交流が始まる

合併の歴史と市域の移り変わり

明治維新後の日本。都市が急速に発展して、我が国の経済成長が始まった。それをけん引したのは、六大都市と呼ばれる、東京、京都、大阪、名古屋、そして横浜と神戸だ。ところが、横浜と神戸は、東京など四都市と異なり、大都市としては新参者であった。政治の中心でもなく、幕藩体制下の城下町でもなかった。人家がまばらであった浜辺に、開港により港が築造され、街が造られていった。

神戸では、旧生田川、鯉川に挟まれた場所に、明治の開港のあとで、外国人特権が認められた居留地の建設が始まった。整然とした区画によって区切られ、街灯や公園を備えた近代的な街並みが造られていった。居留地の面積は横浜に比べて格段に狭く、山手には日本人と外国人がともに暮らす雑居地が形成された。横浜にはなかった雑居地の存在は、神戸の市民性や市街地の形成に影響を与えたと言われる。

1879年、郡区町村編制法の施行により、八部(やたべ)郡神戸、兵庫、坂本村の区域に神戸区が設置された。1889年、市制の施行により、神戸区と八部郡荒田村、菟原(うばら)郡葺合村の区域に神戸市が誕生した。1899年、居留地が日本に返還され、神戸市は我が国を代表する国際港湾都市として発展していく。神戸の市街地は、居留地や雑居地から東西に街が広がっていくように形成されていった。その過程は、おそらく小さな町が連なりながら広がっていったのであり、それぞれの町の雰囲気や性格は、距離が近くてもかなり違ったものであったのではないかと想像される。

神戸市の市域は拡大していく。1896年、八部郡湊村、林田村、須磨村の一部を編入、1920年、武庫郡須磨町を編入。1929年、武庫郡西郷町、西灘村、六甲村を編入。1931年には区制が施行され、神戸区、葺合区、須磨区、灘区など8区が設置された。神戸市は、1940年の国勢調査では人口が約100万人を数えるまでに発展するが、面積はわずか約83平方キロ。当時の神戸市の区域は六甲山系の南側に限られており、極めて人口密度が高く、高度に都市機能が集積した大都市であった。

戦時中の1941年、明石郡垂水町が編入されるが、神戸市の市域が大きく拡大するのは、戦後のことである。1947年、武庫郡山田村、有馬郡有馬町、明石郡伊川谷村など10町村が神戸市に編入された。1950年、武庫郡御影町など3町村が編入されて東灘区が設置され、同年、武庫郡本庄村、本山村が編入された。1951年、有馬郡八多（はた）村など3村が、1955年、有馬郡長尾村が編入された。1958年、美嚢（みのう）郡淡河（おうご）村が編入され、これ以後隣接自治体との合併は行われていない。

戦後に行われた合併は、神戸市の性格を大きく変えたと思う。神戸市は、阪神地域の一角を占めるとともに、田園地域を擁する自治体へと変貌することになった。

山が海に迫り、市街地に人口が密集していた神戸の市街地では、居住地面積の拡大が求められていた。1960年代から、山麓部を開発してニュータウン、産業団地を造成し、ベルトコンベアなどで運ばれた土砂で海面を埋め立てる、「山、海へ行く」プロジェクトが進められた。ポートアイランド、六甲アイランドが生まれ、新しい街が出現した。震災は神戸の街の佇まいを大きく変えたが、それでも、震災で大きく姿を変えた地域を含め、それぞれの場所に赴くと歴史が顔を覗かせる。

都市の顔は、どこにおいても多様だ。そしてその多様性のありようは、都市によってそれぞれ異なっている。神戸という都市が内包する多様性は、ほかの都市、たとえば大阪、京都とはまったくと言って良いほど異なっている。神戸、大阪、京都の都市としての性格の違いは、各都市が歩んできた歴史と深く結びついている。とりわけ神戸においては、明治維新と開港時の出来事、港町の形成、そしてその後の合併と市域の拡大が都市としての性格を決定づけたように思える。神戸市内のそれぞれの場所、地域は、神戸市に入る以前の記憶をとどめながら、神戸市に内包されることによってまた新たな歴史の頁を開いた。

本書で取り上げた200枚の写真は、そのような経過をたどってきた神戸に、いかにたくさんの、そして色とりどりの顔があるかを見せてくれる。

トラ
フィッシング
BE KOBE

写真／六甲全山縦走路・馬の背から、ダイナミックな景色を望む

19 都市型・里山

#農業体験　#自然の恵み　#生物多様性

多井畑の厄神さん。日本最古の厄除けの霊地と伝えられ、疫病退散や無病息災を願う参拝者でにぎわう。播磨国と摂津国の境界に位置するこの多井畑に、豊かな里山が残る地域がある。すぐ近くには住宅や小学校、ショッピングモールがある。市街地のそばにある楽園。こんな子どもたちの声が聞こえてきそうだ。

「さあ、学校帰りに冒険でもしよか」「この小川は福田川に続くらしい」「クヌギがあるからカブトムシがおる」「こないだフクロウを見た」「ため池に何かいるかな」

ニホンウナギやセトウチサンショウウオもいる。タケノコ掘りやウバメガシで炭づくり、田畑を活かして体験農園なんかもできるといい。
開発が予定されていたが、これをとりやめ、里山として再生することになった。本当に心豊かな暮らしとは何か。残された身近にある自然環境の中で、たくさんの人々が参加し、新たな実験が始まった。

写真／上空から見ると、多井畑エリアに残る自然がよく分かる

生き物を育み、心を育てる里山
消えかけた楽園を守り、再生する

適切な竹林整備は大切な作業

竹ってこんなに力持ち!

水の中にも生き物がたくさん

地域を守る多井畑厄除八幡宮

人形(ひとがた)を水に浮かべて厄除け祈願

心がホッと落ち着く里山の風景

自然の中で、生き抜く力が養われる

20 医療産業都市

#研究機関　#新型コロナ対策　#スパコン富岳

震災で大きな被害を受けた神戸の経済を立て直すために「神戸医療産業都市構想」が始まった。当時、ライフサイエンスは、研究開発と治療にとどまり、産業と見る考え方は希薄だったが、近年は民間企業の多くが健康医療分野を事業成長の柱と捉えるようになった。当時の判断は正しかった。

ポートアイランドの南エリアは、370を超える研究機関や民間企業が進出し、11,700人超が働く国内最大のライフサイエンスの街に育った。スーパーコンピュータ富岳も立地している。

新型コロナウイルス対策では、川崎重工とシスメックスの合弁企業であるメディカロイドによる自動PCR検査ロボットが開発された。スタートアップ企業であるT-ICUによる市内病院への遠隔診療支援、中央市民病院の重症者臨時病棟での遠隔見守りシステムなど、存在感を発揮している。

写真／ポートアイランド南側に広がる、医療産業都市ゾーン

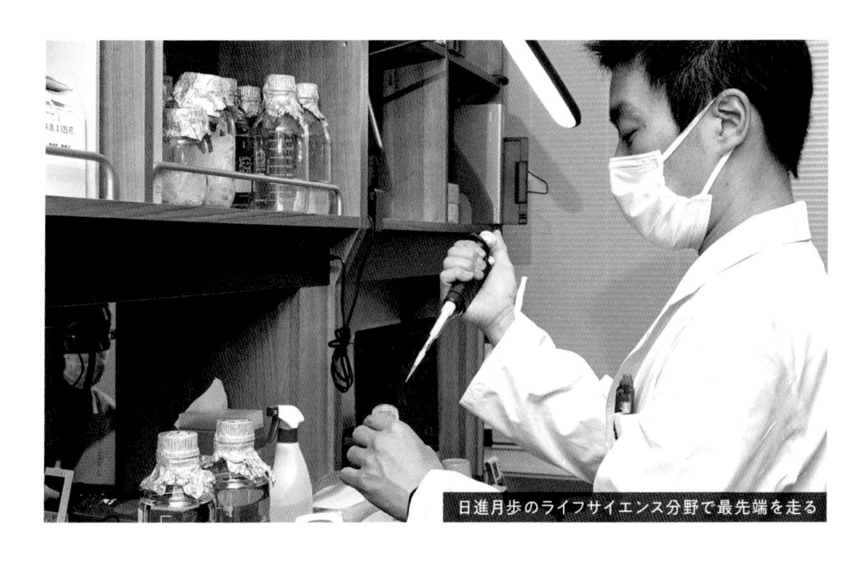

日進月歩のライフサイエンス分野で最先端を走る

370超の研究機関や民間企業が集積し
近未来の健康医療分野をリード

国際的な性能ランキングで3期連続4冠を達成

忙しい研究者のために、キッチンカーがランチをお届け

入居企業の交流を生むスペース

多様なニーズに応える、CLIKの研究設備

21 空き家の活用

#再生　#交流拠点　#解体補助

和田岬駅から徒歩5分、近所の子どもたち行きつけの駄菓子屋「淡路屋」がある。その隣にあった「空き家」が、耐震補強とリフォームを経て、駄菓子屋に通う子どもたちが宿題をする場に生まれ変わった。月に一回、「おかんアート展」の会場としても使われている。昔は駄菓子屋の常連だった大人たちもここで交流や創作を楽しんでいる。

空き家は、管理がなされなくなると、雑草が生い茂り、不審者の侵入を許し、不法投棄の格好の場所になる。街にとってマイナスだ。しかし個人の財産なので、行政が直接手出しできない。そこで、和田岬の例のように改修費用を助成したり、所有者に改善するよう促したりしている。2019年からは、管理がなされなくなった住宅への固定資産税などの減免特例を解除した。全国最大規模、700件の解体補助も用意している。あらゆる手段を尽くしていきたい。

写真／進化する駄菓子屋「淡路屋」の店主・伊藤由紀さんを慕って、中高生も集まる

街のマイナス資産を、プラスに変える
空き家が地域の交流スペースに変身

今も昔も、子どもが自分のお小遣いで楽しめる社交場だ

クレープを食べつつ宿題を。神戸っ子御用達の神戸ノートは変わらない

水道筋・灘中央市場の空き地が畑に。その名も、市場×畑=「いちばたけ」

新しい住民も巻き込めるのが農作業の魅力

都市農園でぐんぐん育つトウモロコシ

22 西神中央

#ターミナル駅　#職住近接　#ファミリー層

周辺で大規模リニューアルが計画されている西神中央駅

神戸市西区の人口は約24万人。一つの都市に匹敵する規模だ。多くの企業が立地し、区外から通勤する人がいる一方、地下鉄・西神山手線を使って、都心方面に通勤・通学する区民も多い。
地下鉄・西神中央駅は、神戸市西部の拠点駅。多くの人々が行き交うこの駅で、斬新なデザインを駆使し、見違えるような駅前空間を創造する試みが始まっている。玉津から移転して新築される西区役所庁舎は、兵庫県産木材がふんだんに使われ、緑あふれる開放的なデザイン。駅前の交差点には、新たなランドマークとなる文化・芸術ホールと図書館ができる。バスターミナル、駅前広場、プロムナードも思い切ってリニューアルされ、夜間は美しくライトアップされる。民間マンションの建設や企業の立地も相次いでおり、西区は、職住近接の街として変貌していくことだろう。

緑豊かで広大な西神中央公園

楽器を手にしたブロンズ像は街の人気者

西神中央駅近くの神戸市埋蔵文化財センターにはレトロな収蔵品も多数

西の拠点駅の魅力をブラッシュアップ
働きたい、住みたい街が誕生

23 異常高温対策

#ヒートアイランド　#住みやすい気候　#ミスト

近年の夏の高温は異常だ。海に面している神戸は、冬は温暖で、夏は京都などに比べて過ごしやすいが、それでも炎暑に見舞われる年が増えてきている。
打ち水を呼びかけ、ミストを設置し、散水車で水をまいたりしているが、さらに踏み込んだ対策がとれないかと、神戸市役所の南にある東遊園地に、異常高温対策の実験場ともいえる「ミスト広場」を開設した。
六甲山の間伐材を素材とするベンチ、やわらかく降り注ぐミスト、そして彩り豊かな植栽があり、夜になると涼しげにライトアップされる。さらに試行的にクールベンチを設置。通電すると熱を移動させる熱電素子を取り付けた座面が冷たくなる仕掛けだ。東遊園地の芝生との相性も良いようで、涼しさを求めて多くの人々が訪れた。
まだまだだ。衆知を集め、さらなる対策を模索していきたい。

写真／東遊園地に誕生した「ミスト広場」

技術と知恵を集めて
炎暑を快適に過ごしやすく

都心のオアシスで、木々にも人々にも潤いを与えた

滝壺で遊んで、ひととき暑さを忘れる

メリケンパークの噴水は夏の人気スポット

流れ落ちる水音も涼しい、布引の滝

24 王子公園

#文教地区　#アートのある街　#動物園

阪急電車を王子公園駅で降りる。ほどなく、王子動物園の入り口が見え、中に入ると、山がこんなにも近く、こんなにも緑豊かな、そしてゆったりとした時間が流れる場所が、都心のすぐ近くにあることに驚かされる。
この地は、古くから六甲山麓の緑豊かで閑静な環境に恵まれた、関西有数の文教地区でもある。関西学院は、この地に創設された。周辺には、松蔭、海星…などたくさんの学校が集まっている。
原田の森ギャラリーから南に歩けば、阪神・岩屋駅近く、BBプラザ美術館を経て、HAT神戸の兵庫県立美術館に至る。ここは、芸術文化の街でもあるのだ。
いま、王子公園に新たな胎動が生まれている。王子動物園をこの地でリニューアル、スポーツ施設も建て替え、新たに大学を誘致する。王子公園が新たな姿を現すのは、そんなに遠くのことではない。

写真／関西学院の赤レンガのチャペルは、神戸文学館に

芸術や学問の薫り漂うエリアが
新たな動きでさらに魅力的に進化

レトロな遊園地を併設した王子動物園は桜の名所

建築家・安藤忠雄氏が手掛けた兵庫県立美術館
青リンゴのオブジェには「永遠の青春」のメッセージを込めた

兵庫県立美術館周辺では、大胆な野外アートが楽しめる

神戸高校前の通称「地獄坂」。海まで一目で見下ろせる

25 須磨

#海が見えるカフェ　#水族館　#淡路島

三宮から西へ約15分。須磨海岸は白砂青松の海辺だ。温暖で風光明媚な須磨は、平安時代から貴族の隠れ家として人気を集め、源氏物語の舞台としても知られている。
近隣のほとんどの高校で、校名に「神戸」でなく「須磨」が使われているのは、この地が広く愛されてきた証ではなかろうか。
1957年、この地に水族館が開設された。私も市電に乗り、よく遊びに行った。歳月が流れ、後継の須磨海浜水族園も開館から30年以上が経過して老朽化し、新しい水族館が2024年にオープンする予定だ。
西日本最大規模で、めったに見られない魚などの生態が学べ、砂浜にほど近いカフェからはすぐ前に淡路島を望みながら、非日常を味わえる。そんな日がくるのが待ち遠しい。

写真／砂浜の先には明石海峡大橋と淡路島が見える

海辺はどこかリゾートの雰囲気が漂う

マリンスポーツも盛ん

神戸市立須磨ヨットハーバーは、関西でも有数の規模

音楽の演出が好評だったイルカライブ

開館当時は東洋一を誇った須磨水族館

身近に砂浜がある町
淡路島を望む非日常のひととき

おわりに

『海と山が育むグローバル貢献都市』－2025年度に向け、神戸が目指すまちの姿を示す「神戸2025ビジョン」のタイトルです。別の自治体でも通用するようなものではなく、端的に神戸という都市の姿を表現したいと思いました。

神戸には、海があり、山があります。神戸の地に暮らしてきた人々は、古くから海と向き合ってきました。海はときに牙をむきます。人々は海を恐れながら、海に漕ぎ出て、海の恵みを受け取ってきました。

古くから交易で栄えてきた港、そして狭い土地に細長く形成されてきた街の背後には、東西に連なる山が控えています。海と山との距離は近く、結ばれ、つながってきました。高取山は古くから漁民や航海者の安全を守る守護神が座す御山とされ、仰ぎ見られてきました。本書に登場する保久良神社の石灯籠、「灘の一つ火」は、古代から大阪湾を通る船の目印でした。

平 清盛が造営した福原の都、北前船の交易で栄えた兵庫の津など、近代以前の神戸には海と向き合ってきた豊かな営みとなりわいがありました。そのような歴史の上に、約150年前、神戸に港が造られました。神戸はたちまち発展し、ほどなく我が国を代表する国際港湾都市としての地歩を確立しました。その後の神戸は、たびたび大きな試練に見舞われてきました。開港50年に沸く神戸を「スペイン風邪」が襲い、7,000名もの市民が命を落としました。その後の神戸は100万都市に成長しますが、戦争の時代に入り、終戦の年の空襲で市街地は焦土と化しました。焼け跡から復興を遂げ、街はにぎわい、「山、海へ行く」プロジェクトは成功を収め、神戸市政は自治体経営のモデルのありようを内外に示しました。

そして1995年に阪神・淡路大震災が起こりました。神戸市民は互いに助け合い、励ましあい、さまざまな意見の対立を乗り越えて街を復興させました。しかし、震災復興事業の遂行は一自治体の努力の限度を超え、未曾有の財政危機に見舞われます。この危機を徹底した行財政改革によって乗り越え、遅れていた本格的な街づくりにようやく手が付けられ始めた時期に、コロナ禍に襲われました。本書が上梓されようとしている今、神戸はまだこの危機の中にあります。

自治体も地域も、そして人も、ひとりでは生きていくことはできません。神戸は震災のとき、国内外から多くの支援を受け、街を蘇らせてきました。そしてこのコロナ禍の中にあって、ほかの自治体や地域からもさまざまな支援をいただいています。内外からの支援を受けて試練を克服してきた神戸は、ほかの都市や地域に貢献できる都市でありたいと願います。震災の後スタートした神戸医療産業都市においては、コロナ禍に挑戦するさまざまな取り組みが行われています。自動PCR検査ロボット、遠隔モニタリングシステム、手術支援ロボットなどが生み出され、それらは人々の命を救う上で大きな役割を果たしていくことでしょう。神戸は、グローバル社会に貢献し続ける都市であることで、名誉ある地位を得たいと願います。

本書で紹介した写真の風景の多くは、ありふれた日常のものですが、そこには長い歴史の中で培われてきた神戸の風土と歴史が顔を覗かせます。震災の後に生じてきた変化や神戸市の主体的な取り組みが垣間見えるものもあります。これから時代が変わっても、変わることなく存在していてほしいという風景、少しずつ生まれてきた動きがさらに多く、広く、深くなり、もっと素晴らしいものになってほしいという景色もあります。逆に、街の中に生じてきているけれども、これは神戸とは違う、こんな景色ではなく、もっと違うものになってほしいという想いが込められたものもあります。

《BE KOBE》──直訳すると「神戸であれ」というほどの意味かもしれません。こうありたい、こうあってほしいという姿は一人ひとり違っていても、それらを紡ぎ合わせながら、語り合い、対話を重ねながら、神戸の未来の風景を思い描く──本書がそんなきっかけになってくれればとてもありがたく感じます。

久元 喜造

久元 喜造　ひさもと・きぞう

1954 年神戸市兵庫区生まれ。神戸市立川池小学校入学、
小部小学校卒業、神戸市立山田中学校、灘高等学校を経て、
1976 年 3 月に東京大学法学部卒業後、旧自治省入省。
2012 年 11 月神戸市副市長に就任。
2013 年 11 月から第 16 代神戸市長を務め、現在 2 期目。
著書に『神戸残影』(神戸新聞総合出版センター)、
『持続可能な大都市経営—神戸市の挑戦—』(ぎょうせい)、
『ひょうたん池物語』(神戸新聞総合出版センター)、
『ネット時代の地方自治』(講談社)など。

神戸未来景　200の写真が語るあしたの神戸

2021年7月27日　初版第1刷発行

著者	久元 喜造
発行者	金元 昌弘
発行所	神戸新聞総合出版センター 〒650-0044 兵庫県神戸市中央区東川崎町 1-5-7 神戸情報文化ビル 9 階 電話　078-362-7140（出版部）
装丁・デザイン	濱 章浩（株式会社神戸デザインセンター）
編集	松本 有希（株式会社神戸デザインセンター）
写真	神戸市、岩本 順平、川下 史博、首藤 義敬、 髙田 雄平、濱 章浩、幣 直美、安福 友祐、山下 和希 ※順不同、敬称略。
印刷・製本	株式会社神戸新聞総合印刷

ISBN978-4-343-01127-5 C0095

写真／摩耶山掬星台からの宝石箱のような夜景

写真／書庫バーにて